CW00558623

SEBASTIAN MESCHENMOSER

Rotkäppchen hat keine Lust

Thienemann

Hungrig war der Wolf erwacht. Das Grollen aus seinem Magen hallte von den Wänden seiner leeren Höhle wider. Langweilig war es hier und einsam.
Der Wolf fühlte sich sehr bitter.

»Wenn du einmal traurig bist«, hatte seine Großmutter immer gesagt, dann frühstücke einen Clown, das macht lustig! Wenn du dumm bist, verschlucke einen Lehrer, davon wirst du schlau. Und wenn du dich einmal bitter fühlst, friss ein süßes Kind. Das hilft immer! Und obendrein bist du dann satt.«

Pilze fand man unter alten Eichen, Kartoffeln auf dem Acker. Und Kinder, wenn sie leichtsinnig genug waren, allein auf einem Waldweg. Aber natürlich konnte man Menschenkinder nicht so einfach pflücken. Man musste geduldig sein und raffiniert: Ein kurzes Gespräch, eine Einladung zu einem Spaziergang tief in den Wald, noch auf einen Tee und Kekse in die dunkle Höhle … und dann – Zack! – ab in den Kochtopf! Oder in die Bratpfanne, je nach Rezept.

Lange zu suchen brauchte der Wolf nicht …

Dieses kleine Mädchen sah besonders süß und obendrein sehr leichtsinnig aus.
Und es stapfte geradewegs auf den Wolf zu!
Jetzt musste ihm nur noch ein raffinierter Spruch einfallen.

»Junges Fräulein, darf ich’s wagen?
Wohin des … hee!«
Da war das Mädchen auch schon vorbei.

Wohin des Weges?« Der Wolf war schon ganz außer Atem.
»Zur Großmutter«, sagte das Mädchen. »Hat Geburtstag,
wohnt mitten im Wald. Ist verrückt, überall Hühner, sammelt
seltsame Fotos. Eine Stunde hin, komische Fotoalben angucken,
öde Geschichten anhören und dann eine Stunde zurück.
Der Sonntag ist jedenfalls hin!«

»Herzallerliebst«, keuchte der Wolf. Das war die Gelegenheit, das Mädchen in ein Gespräch zu verwickeln! Danach Wald, Höhle, Kochtopf, Zack!
»Geburtstag«, rief er. »Und was für Geschenke hast du wohl in deinem Körbchen?«

»Einen Ziegelstein,

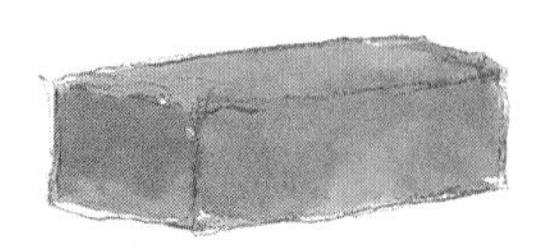

eine Socke

und einen Kaugummi.«

Einen kantigen Ziegelstein, eine stinkende Socke und einen ollen Kaugummi? Das sind doch keine Geschenke für eine alte Dame! Was bist du nur für eine Enkelin!«

Großmütter lieben Blumen, das weiß doch jeder!«, rief der Wolf und lief sogleich in den Wald hinein, um einen wunderschönen Strauß wilder Waldblumen zu pflücken.

»So, und jetzt backen wir einen Kuchen. Ein Geburtstag ohne Geburtstagskuchen ist kein richtiger Geburtstag!«

Seiner eigenen Großmutter hatte der Wolf auch immer Kuchen gebacken und deshalb war er ihr Lieblingsenkel gewesen.
»Jetzt fehlt nur noch eine gute Flasche Wein«, sagte der Wolf, als der Kuchen endlich fertig war.

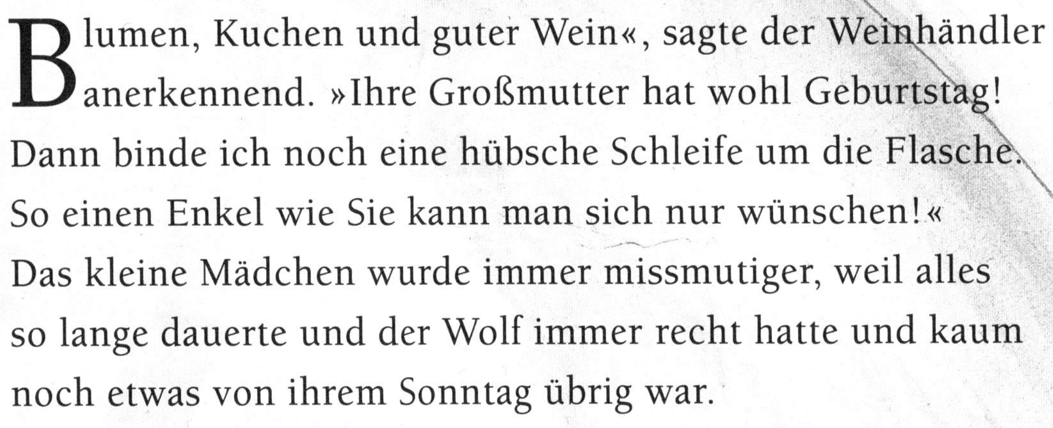

Blumen, Kuchen und guter Wein«, sagte der Weinhändler anerkennend. »Ihre Großmutter hat wohl Geburtstag! Dann binde ich noch eine hübsche Schleife um die Flasche. So einen Enkel wie Sie kann man sich nur wünschen!«
Das kleine Mädchen wurde immer missmutiger, weil alles so lange dauerte und der Wolf immer recht hatte und kaum noch etwas von ihrem Sonntag übrig war.

Klar, dass die Großmutter sich unheimlich freute. Blumen und Wein und Kuchen! Und ein haariger Herr aus dem Wald als Überraschungsbesuch!

Der Geburtstagskuchen schmeckte ausgezeichnet. »Das erinnert mich an einen Kuchen, den ich vor fünfzig Jahren einmal gebacken habe«, sagte die Großmutter. »Da waren auch Äpfel drin! Warten Sie mal, da habe ich doch bestimmt noch ein Foto davon!«

Während die Großmutter nach dem Kuchenfotoalbum suchte, entkorkte der Wolf schon einmal die Flasche Wein.

Zu Hause in seiner Höhle hatte der Wolf nur ungefähr ein einziges Bild. Die Großmutter hatte hunderte! So konnte es ja nie langweilig werden!
Nachdem sie sich das Apfelkuchenfotoalbum, das Kartoffeln-mit-Gesicht-Fotoalbum, das Gesichter-die-aussehen-wie-Kartoffeln-Fotoalbum und das Fotoalbum mit Fotos von Fotoalben angeschaut hatten, war schon die halbe Flasche Wein leer und die Großmutter und der Wolf wurden sehr heiter.

Das kleine Mädchen hingegen war griesgrämiger als je zuvor, weil ihr Sonntag so langweilig und obendrein nun schon fast vorbei war. Und es beschloss, nun endlich zu gehen.

Weil es sehr spät geworden war, lud die Großmutter den Wolf ein, über Nacht zu bleiben.
Der Wolf brachte die alte Frau ins Bett und machte es sich auf dem Sofa bequem.

Am nächsten Morgen würde er Brötchen holen. Und nach dem Frühstück, so hatte die Großmutter es ihm versprochen, würde sie ihm zeigen, wie man Socken strickt.

Bei der Großmutter war es viel gemütlicher als in seiner Höhle. Es gab Fotoalben ohne Ende und im Keller hatte die Großmutter noch etliche Flaschen guten Weines.

Der Wolf zögerte keine Sekunde, als die Großmutter ihn fragte, ob er bei ihr einziehen wolle.
Von nun an buk er jeden Tag einen köstlichen Kuchen und von jedem machten die beiden ein schönes Foto. Und von einem Grollen aus seinem Magen wachte der Wolf nie wieder auf.

Das kleine Mädchen indessen zog in die Wolfshöhle und wurde eine gefürchtete Räuberin. Außer Sonntags, da hatte sie frei. Aber das ist eine andere Geschichte …

Weitere Titel von Sebastian Meschenmoser:

Herr Eichhorn und der Mond
Herr Eichhorn und der erste Schnee
Herr Eichhorn weiß den Weg zum Glück
Herr Eichhorn und der Besucher vom blauen Planeten
Herr Eichhorn und der König des Waldes
Fliegen lernen
3 Wünsche für Mopsmann
Mopsmanns magische Wunderwolle
Der Fall Lori Plump
Gordon und Tapir

Meschenmoser, Sebastian:
Rotkäppchen hat keine Lust
ISBN 978 3 522 45827 6

Reproduktion: Schwabenrepro, Stuttgart
Druck und Bindung: Livonia Print, Riga

FSC
www.fsc.org
MIX
Papier aus verantwortungsvollen Quellen
FSC® C002795

www.thienemann.de